GRANDES PERSONAJES EN LA HISTORIA DE LOS ESTADOS UNIDOS™

SOJOURNER TRUTH

DEFENSORA DE LOS DERECHOS CIVILES

KATHLEEN COLLINS

TRADUCCIÓN AL ESPAÑOL:
EIDA DE LA VEGA

The Rosen Publishing Group, Inc.
Editorial Buenas Letras™
New York

Published in 2004 by The Rosen Publishing Group, Inc.
29 East 21st Street, New York, NY 10010

First Spanish Edition 2004
First English Edition 2004

Cataloging Data

Collins, Kathleen.
[Sojourner Truth. Spanish]
Sojourner Truth: Defensora de los derechos civiles / by Kathleen Collins. — 1st ed.
    p. cm. — (Grandes personajes en la historia de los Estados Unidos)
Summary: Surveys the life of Sojourner Truth, who escaped from slavery and became famous as an advocate of equal rights for women and blacks.
Includes bibliographical references (p.) and index.
ISBN 0-8239-4145-0 (lib. bdg.)
ISBN 0-8239-4239-2 (pbk.)
6-pack ISBN 0-8239-7600-9
1. Truth, Sojourner, d. 1883—Juvenile literature. 2. African American abolitionists—Biography—Juvenile literature. 3. African American women—Biography—Juvenile literature. 4. Abolitionists—United States—Biography—Juvenile literature. 5. Social reformers—United States—Biography—Juvenile literature. [1. Truth, Sojourner, d. 1883. 2. Abolitionists. 3. Reformers. 4. African Americans—Biography. 5. Women—Biography. 6. Spanish language materials.]
I. Title. II. Series: Primary sources of famous people in American history. Spanish.]
E185.97.T8C655 2004
305.5'67'092—dc21

Manufactured in the United States of America

Photo credits: cover, pp. 5, 18, 22, 23, 24, 27 (bottom), 29 courtesy of the archives of the Historical Society of Battle Creek; pp. 7, 12, 21 © Hulton/Archive/Getty Images; p. 8 © Corcoran Gallery of Art/Corbis; p. 9 Map Division, The New York Public Library, Astor, Lenox, and Tilden Foundations; p. 11 Picture Collection, The Branch Libraries, The New York Public Library, Astor, Lenox, and Tilden Foundations; p. 13 Eastman Johnson, *A Ride for Liberty—The Fugitive Slaves*, 1863, collection of the Brooklyn Museum of Art, 40.59a; pp. 15, 17 courtesy of the Phelps Stokes Collection, Miriam and Ira D. Wallach Division of Art, Prints, and Photographs, The New York Public Library, Astor, Lenox, and Tilden Foundations; p. 19 Library of Congress Geography and Map Division; p. 20 Library of Congress Prints and Photographs Division; p. 25 Library of Congress Rare Book and Special Collections Division; p. 27 (top) National Portrait Gallery/Smithsonian Institution/Art Resource, NY; p. 28 courtesy of the Klyne Esopus Historical Society Museum.

Designer: Thomas Forget; Photo Researcher: Rebecca Anguin-Cohen

CONTENIDO

1 NACIDA EN LA ESCLAVITUD

Sojourner Truth nació en 1797, en el condado de Ulster, Nueva York. La llamaron Isabella. Ella y sus padres eran esclavos. Eran propiedad de Johannes Hardenbergh, un próspero terrateniente holandés. El padre de Isabella era James Bomefree. Su madre se llamaba Betsey. El primer idioma de la familia era el holandés.

¿SABÍAS QUE...?

"Bomefree" es una palabra holandesa que significa "árbol". James Bomefree era alto y derecho como un árbol. Isabella también era alta. Medía casi seis pies, cerca de dos metros de altura.

Sojourner Truth se llamaba Isabella. Sólo conoció a uno de sus 11 hermanos. Los demás fueron vendidos como esclavos.

Isabella era la más joven de 12 hermanos. Sus hermanos y hermanas fueron vendidos o regalados antes de que ella naciera. Isabella sólo conoció a uno de ellos, Peter. Ella sabía que sus padres estaban muy tristes por haber perdido a sus hijos. Isabella también albergaba esta tristeza.

LOS CUMPLEAÑOS DE LOS ESCLAVOS

Nadie sabe con certeza cuándo nació Isabella. Los cumpleaños de los esclavos no se registraban.

Los mercados de esclavos, como éste en Nueva York, subastaban
personas. El mejor postor ganaba el derecho de comprar
un esclavo.

2 SEPARADA DE SU FAMILIA

En 1808, Isabella fue separada de sus padres. La vendieron a un propietario de lengua inglesa. Fue vendida varias veces durante su juventud. De 1810 a 1827, trabajó para John J. Dumont de New Paltz, Nueva York. Isabella plantaba, araba y recogía las cosechas. También ordeñaba las vacas. En la casa, cosía, cocinaba y limpiaba.

Esta pintura muestra la zona colindante al río Hudson. Sojourner Truth nació en una granja en Hurley, Nueva York.

Este mapa del condado de Ulster, Nueva York, muestra muchos pueblos pequeños. Los esclavos eran vendidos con frecuencia a las granjas vecinas. Isabella fue vendida a dos propietarios diferentes antes de cumplir 20 años.

Dumont le prometió a Isabella que la liberaría en 1826. Pero cuando Isabella se hizo daño en la mano y no pudo trabajar como de costumbre, Dumont se sintió estafado y rompió su promesa. De cualquier modo, Isabella se marchó con su bebé, aunque supo más tarde que Dumont había vendido a su hijo Peter ilegalmente. Con la ayuda de amigos, Isabella demandó a Dumont y Peter fue liberado en 1828.

¿SABÍAS QUE...?

El 4 de julio de 1827, la esclavitud se declaró ilegal en Nueva York. Se declaró ilegal en el resto de Estados Unidos, después de la Guerra Civil, en 1865. La Décimotercera Enmienda a la Constitución de Estados Unidos prohibía la esclavitud.

Know all Men by these Presents, That I *John Livingston of the City of New York Mercht.*

For and in Consideration of of the Sum of *Eighty Pounds* Current Money of the Province of *New York* to me in Hand paid at and before the Ensealing and Delivery of these Presents, by *The Revd. Mr. Aaron Burr President of the College of New Jersey* the Receipt whereof I do hereby acknowledge, and myself to be therewith fully satisfied, contented and paid: HAVE Granted, Bargained, Sold, Released, and by these Presents do fully, clearly and absolutely grant, bargain, sell and release unto the said *Mr. Aaron Burr his heirs & assigns a certain Negro Man named Caesar*

To HAVE and to HOLD the said *Negro Man Caesar* unto the said *Mr. Aaron Burr his* Executors, Administrators and Assigns for ever. And I the said *John Livingston* for my Self, my Heirs, Executors and Administrators, do covenant and agree to and with the above-named *Aaron Burr his* Executors, Administrators and Assigns, to warrant and defend the Sale of the above-named *Negro Man named Caesar* against all Persons whatsoever. In Witness whereof I have hereunto set my Hand and Seal this *Second* Day of *September* Annoq; Dom. One Thousand Seven Hundred and Fifty *Six*.

Sealed and Delivered in the Presence of

Jos Forman

John G. Lansing

Jn. Livingston

BILL OF SALE OF NEGRO
736
NYC., 1750

736

Los seres humanos se vendían como esclavos con tanta facilidad como se vendía un caballo. Este comprobante muestra una compra de este tipo. Los esclavos eran considerados una propiedad valiosa.

11

3 HUYENDO DE LA ESCLAVITUD

Isabella se fugó de casa de Dumont a fines de 1826. Un amigo le dijo que fuera a casa de Isaac y Maria Van Wagener. Los Van Wagener vivían a pocas millas de allí. Ellos cuidaron de Isabella hasta que dejó de ser esclava.

Los Van Wagener no creían en la esclavitud. Isabella y su bebé, Sophia, vivieron con ellos durante un año.

La Casa Magee en Canesto, Nueva York, se usaba para esconder esclavos fugitivos. Era parte del "ferrocarril clandestino" que ayudaba a los esclavos a huir al norte.

Algunas veces, las familias de esclavos se escapaban de sus dueños. Lo hacían porque no querían que los separaran unos de otros, al venderlos. La mayoría de los esclavos fugados eran capturados.

En 1827, Isabella fue a una celebración de esclavos afroholandeses llamada *Pinkster*. Allí tuvo una poderosa experiencia religiosa. En adelante, la religión pasó a formar parte importante de su vida. El resto de sus días, Isabella oyó voces y tuvo visiones. Su espiritualidad la ayudó a mantenerse fuerte y valiente.

UNA FESTIVIDAD CRISTIANA

"Pinkster" es el nombre holandés para la Pascua de Pentecostés. Pentecostés es una importante festividad de la religión cristiana.

Los ingleses no eran los únicos esclavistas de Estados Unidos. Los holandeses también fueron esclavistas. Los esclavos africanos de los holandeses celebraban *Pinkster*.

Alrededor de 1829, Isabella se mudó a la ciudad de Nueva York. Se llevó a sus dos hijos menores, Peter y Sophia. Isabella conoció a un próspero reformador social llamado Elijah Pierson. Juntos predicaron en las calles.

Isabella no sabía leer pero era muy buena oradora. Era muy conocida por sus sermones, sus oraciones y su canto.

¿SABÍAS QUE...?

"No puedo leer un libro", dijo Sojourner Truth, "pero puedo leer a la gente".

Nueva York era ya una gran ciudad en 1829. Isabella se dio cuenta de que era una buena predicadora callejera. Predicaba su amor a Dios.

4 PREDICANDO LA LIBERTAD

En 1834, Isabella decidió convertirse en predicadora ambulante. Dijo que las voces le habían ordenado que viajara al Noreste y al Medio Oeste. Allí trabajó llevando la verdad de Dios.

"To sojourn", en inglés, significa hacer visitas cortas. "Truth", quiere decir verdad. Isabella se cambió el nombre a Sojourner Truth. A partir de ese momento, dijo que su cumpleaños era el 1 de junio de 1843.

> Isabella nunca aprendió a leer y a escribir correctamente, pero sí aprendió a escribir su nuevo nombre, "Sojourner". Una de sus pocas firmas que se conservan muestra una mano poco habilidosa.

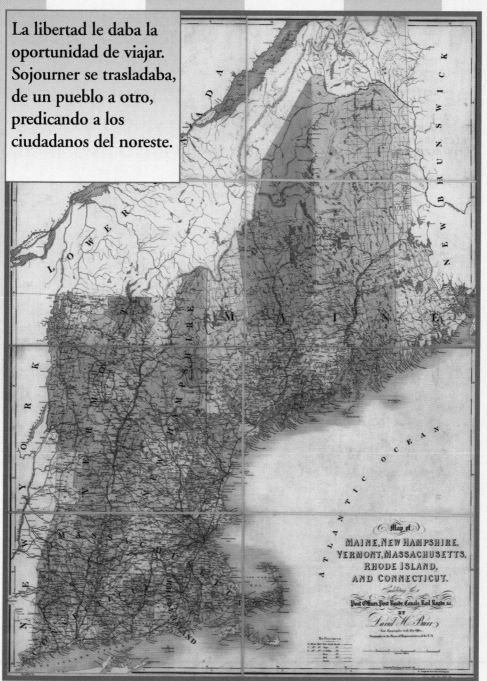

La libertad le daba la oportunidad de viajar. Sojourner se trasladaba, de un pueblo a otro, predicando a los ciudadanos del noreste.

En el invierno de 1844, Sojourner Truth se mudó a una comuna en Massachusetts. Se llamaba la Asociación de Northampton para la Educación y la Industria. Allí conoció a otros miembros del movimiento abolicionista, o en contra de la esclavitud. El abolicionismo y los derechos de las mujeres se convirtieron en temas importantes para Sojourner Truth, quien empezó a predicar estas ideas.

Frederick Douglass nació esclavo, como Sojourner Truth. Se escapó a Inglaterra y sus amigos lo ayudaron a comprar su libertad. Regresó a Estados Unidos a luchar contra la esclavitud.

A SHORT
ACCOUNT
Of that PART of
AFRICA,
Inhabited by the
NEGROES.

With Respect to the *Fertility* of the Country; the *good Disposition* of many of the *Natives*, and the *Manner* by which the SLAVE TRADE is carried on.

Extracted from divers Authors, in order to shew the *Iniquity* of that TRADE, and the *Falsity* of the ARGUMENTS usually advanced in its *Vindication*.

With Quotations from the Writings of several Persons of Note, *viz.* GEORGE WALLIS, FRANCIS HUTCHESON, and JAMES FOSTER, and a large Extract from a Pamphlet, lately published in *London*, on the Subject of the SLAVE TRADE.

The Second EDITION, with large Additions and Amendments.

Do you the neighb'ring, blameless *Indian* aid;
Culture what he neglects, not his invade,
Dare not, Oh! dare not, with ambitious View
Force or demand Subjection, never due.

* * * * * * * * * *
* * * * * * * * *

Why must I *Africk's* sable Children see
Vended for Slaves, tho' formed by Nature free?
The nameless Tortures cruel Minds invent,
Those to subject whom Nature equal meant?
If these you dare, altho' unjust Success
Impow'rs you now, unpunish'd, to oppress
Revolving EMPIRE you and yours may doom;
Rome all subdued, yet *Vandals* vanquish'd *Rome*.
RICHARD SAVAGE, *on publick Spirit.*

PHILADELPHIA:

CLXII.

Los abolicionistas luchaban para acabar con la esclavitud en Estados Unidos. Escribían historias acerca de los esclavos africanos. Querían que la gente comprendiera que los esclavos habían vivido otras vidas antes de ser secuestrados de sus países.

21

En 1850, Sojourner publicó su autobiografía titulada *La historia de Sojourner Truth*. La vendía en reuniones sobre los derechos de la mujer a 25 centavos por ejemplar. En 1851, pronunció un discurso en la Convención de los Derechos de las Mujeres en Akron, Ohio. Habló de la esclavitud. Habló de la tristeza que siente una madre cuando sus hijos son vendidos.

Sojourner Truth usó este estrado para predicar en la Primera Iglesia Presbiteriana, en Coldwater, Michigan. Sojourner era una predicadora convincente e inspiró a muchos.

NARRATIVE

OF

SOJOURNER TRUTH;

A Bondswoman of Olden Time,

EMANCIPATED BY THE NEW YORK LEGISLATURE IN THE EARLY
PART OF THE PRESENT CENTURY;

WITH A HISTORY OF HER

Labors and Correspondence,

DRAWN FROM HER

"BOOK OF LIFE."

BOSTON:
PUBLISHED FOR THE AUTHOR.

SOJOURNER TRUTH,
"THE LIBYAN SIBYL."

La historia de la vida de Sojourner Truth cuenta sus primeros sufrimientos como esclava. También habla de sus éxitos como predicadora y activista. Miles de personas han usado su historia como inspiración en la lucha por la igualdad de derechos.

5 ACABANDO CON LA ESCLAVITUD

A mitad de la década de 1850, Sojourner se mudó a Battle Creek, Michigan. Éste era un lugar importante para el movimiento abolicionista. Sojourner ayudaba a los esclavos liberados a encontrar trabajo, ayudaba a los soldados del ejército negro de Michigan, y luchaba por que permitieran a los negros viajar con los blancos en los tranvías de Washington, D.C.

La casita de Sojourner en Battle Creek, Michigan. Dondequiera que ella viviera, luchaba por la igualdad de derechos.

The image contains a historical broadside titled "BOBALITION Of Slavery." with extensive period text.

El movimiento abolicionista creció rápidamente durante la Guerra Civil. Abraham Lincoln liberó a los esclavos de Estados Unidos en 1863. Después de la guerra, los granjeros tuvieron que pagar salarios a todos sus trabajadores.

En 1864, Sojourner conoció al presidente Abraham Lincoln en la Casa Blanca. En 1870, envió una petición al Congreso en la que pedía al gobierno que le diera tierras en el Oeste a los esclavos liberados. El Congreso no hizo nada por los antiguos esclavos, pero Sojourner inspiró a miles de esclavos liberados para que se asentaran en Kansas.

LA FE DE SOJOURNER EN LA GENTE

Antes de la Guerra Civil, Frederick Douglass pronunció un discurso y Sojourner pensó que no era lo suficientemente esperanzador. Sojourner creía en la bondad de la gente y se hizo famosa por preguntarle a Douglass, "Frederick, ¿Acaso Dios está muerto?"

Abraham Lincoln *(izquierda)* se encontró con muchos abolicionistas mientras fue presidente. Lincoln había oído hablar mucho de Sojourner Truth antes de conocerla en 1864. Lincoln firmó su libro de autógrafos ese mismo día *(abajo)*.

For Aunty
Sojourner Truth

A. Lincoln

Oct. 29. 1864

Sojourner continuó viajando y predicando en la década de 1870. Hablaba de una patria para los negros en el Oeste. Daba discursos acerca de la igualdad de derechos de las mujeres y de los negros. Murió el 26 de noviembre de 1883. En 1986, Sojourner Truth fue honrada con un sello postal.

Sojourner Truth nunca ha abandonado las mentes de aquellos que luchan por la igualdad de derechos. En 1986, Sojourner Truth fue honrada con un sello postal. Su retrato muestra una mujer fuerte que luchaba por ella y por los demás.

28

La tumba de Sojourner Truth marca el lugar de descanso de esta heroína estadounidense. Ella empeñó su vida en ayudar a otros. Miles han seguido su camino.

CRONOLOGÍA

1797—Isabella nace esclava en el condado de Ulster, Nueva York.

1808—Separan a Isabella de sus padres y es vendida a otro dueño.

1815—Isabella se casa con otro esclavo, Thomas.

1826—Isabella se fuga con Sophia, su hija pequeña.

4 de julio de 1827—El estado de Nueva York abole la esclavitud.

1827—Isabella va a una celebración de "Pinkster".

1828—Isabella gana una demanda legal para liberar a su hijo, Peter, que había sido vendido ilegalmente como esclavo por Dumont.

1829—Isabella se muda a Nueva York con su hijo Peter y su hija Sophia.

1843—A la edad de 46 años, Isabella adopta el nombre de Sojourner Truth.

1850—Sojourner Truth publica su autobiografía.

1856—Sojourner se muda a Battle Creek, Michigan.

26 de noviembre de 1883—Muere Sojourner Truth en Battle Creek, Michigan.

1870—Sojourner envía una petición al Congreso pidiéndole al gobierno una patria para los negros.

GLOSARIO

abolicionista (el, la) Alguien que lucha por que se termine la esclavitud.

autobiografía (la) La historia de la vida de una persona escrita por la propia persona.

comuna (la) Una comunidad en la cual todos comparten ideas similares y son tratados de manera justa.

cosechar Recoger las cosechas de una temporada.

demandar Llevar a alguien ante la corte.

derecho (el) Algo que todos deben tener la posibilidad de tener o hacer.

esclavo(-a) Alguien que es "poseído" por otra persona y hace trabajo no pagado para esa persona.

inspirar(se) Llenarse de emoción acerca de algo.

petición (la) Un modo formal de pedir que se haga algo.

predicar Dar charlas acerca de Dios.

reformador(-a) Alguien que trabaja para cambiar o mejorar las cosas.

SITIOS WEB

Debido a las constantes modificaciones en los sitios de Internet, Rosen Publishing Group, Inc. ha desarrollado un listado de sitios Web relacionados con el tema de este libro. Este sitio se actualiza con regularidad. Por favor, usa este enlace para acceder a la lista:

http://www.rosenlinks.com/fpah/stru

LISTA DE FUENTES PRIMARIAS DE IMÁGENES

Página 5: Fotografía de Sojourner Truth, de alrededor de 1870. Se encuentra actualmente en la Sociedad Histórica de Battle Creek, Michigan.

Página 9: Mapa coloreado a mano del condado de Ulster, Nueva York, de David H. Burr, de alrededor de 1829. Se encuentra actualmente en la Biblioteca Pública de Nueva York.

Página 11: Copia fotográfica de un comprobante de venta de un esclavo, 1750. Se encuentra actualmente en la Biblioteca Pública de Nueva York.

Página 13: Pintura titulada *Un viaje a la libertad—Los esclavos fugitivos* de Eastman Johnson, de alrededor de 1863. Se encuentra actualmente en el Museo de Arte de Brooklyn, Nueva York.

Página 15: Grabado titulado *Nueva Amsterdam, 1643.* Se encuentra actualmente en la Biblioteca Pública de Nueva York.

Página 17: Pintura de la ciudad de Nueva York, de Henry A. Papprill, 1829.

Página 18: Firma de Sojourner Truth, 1880, de un libro de autógrafos.

Página 19: Mapa coloreado a mano de la región noreste de Estados Unidos, de David H. Burr, 1839.

Página 21: Panfleto abolicionista impreso por W. Dunlap en Boston, Massachusetts, 1762.

Página 23: Portada del libro *La historia de Sojourner Truth,* impreso en 1875 en Boston y en Nueva York.

Página 24: Dibujo de la casa de Sojourner Truth en Battle Creek, Michigan, alrededor de 1890, publicado en un periódico de Chicago ese mismo año.

Página 25: Grabado en madera en un pliego suelto titulado *Bobalición de la esclavitud,* de 1832. Actualmente se encuentra en la Biblioteca del Congreso, en Washington, D.C.

Página 27 *(arriba):* Fotografía de Abraham Lincoln de Thomas Le Mere, 1863. Se encuentra actualmente en la Institución Smithsonian, Washington, D.C.

Página 27 *(abajo):* Firma de Abraham Lincoln en el libro de autógrafos de Sojourner Truth, 1864.

ÍNDICE

ACERCA DEL AUTOR

Kathleen Collins es escritora. Kathleen vive en la ciudad de Nueva York.